Fehler ABC
Deutsch – Französisch

von
Günter Nickolaus

Neubearbeitung 1996

W0171856

Ernst Klett Verlag
Stuttgart · München · Düsseldorf · Leipzig

Fehler ABC Deutsch-Französisch
von Günter Nickolaus

Dieses Werk folgt der reformierten
Rechtschreibung und Zeichensetzung.

Gedruckt auf Recyclingpapier, das aus chlorfrei
gebleichtem Zellstoff hergestellt wurde.

2. neubearbeitete Auflage 2 ⁴ ³ ² ¹ | 1999 98 97 96
Die letzte Zahl bezeichnet das Jahr des Druckens.

Redaktion: Katharina Voß, Elizabeth Webster.
Einbandgestaltung: Erwin Poell, Heidelberg; Ilona Arfaoui, Stuttgart.
Druck: Milanostampa, Farigliano.
Printed in Italy.
ISBN 3-12-560645-4

Inhalt

Zu diesem Buch

Es ist relativ leicht beim Erlernen einer Fremdsprache erste Kenntnisse zu erwerben. Doch bald können Unsicherheiten beim Gebrauch sprachlicher Ausdrücke auftreten: Es werden immer wieder Fehler gemacht, die zu Missverständnissen führen.

Dieses Fehler-ABC soll Ihnen helfen diese typischen Fehler auszumerzen, ohne dabei eine Grammatik oder ein Wörterbuch ersetzen zu wollen. Es behandelt über 100 Wörter und idiomatische Wendungen, die für Sie als deutschsprachige Lernende zu den häufigsten Fehlerquellen im Umgang mit dem Französischen gehören.

Bevor Sie den Inhalt dieses Fehler-ABCs studieren, sollten Sie sich über zwei Fragen Klarheit verschaffen:

1. *Welches sind meine typischen Fehler, d. h. an welchen Punkten kann ich meine Leistungen verbessern?*

Sie können Ihre typischen Fehlerquellen herausfinden, wenn Sie den Einführungstest am Anfang des Buches lösen. Die 50 französischen Beispielsätze weisen Lücken auf und sind durch den passenden französischen Ausdruck zu ergänzen. Die deutsche Entsprechung ist jeweils in Klammern angegeben. Das „Test"-Ergebnis wird Ihnen zeigen, an welchen Stellen immer wieder dieselben Fehler passieren.

2. *Wie kann ich meine Leistungen verbessern?*

a) Lesen Sie zunächst die zu Beginn der einzelnen Stichwörter gegebenen Hinweise und prägen Sie sich ein, was diese für Sie an Neuem enthalten.

b) Danach übersetzen Sie mündlich, oder besser sogar schriftlich, die auf der linken Hälfte aufgeführten deutschen Beispiel- und Übungssätze.

c) Nun legen Sie zur Kontrolle die beigegebene rote Klarsichtfolie auf die rechte Seitenhälfte: die richtige Übersetzung wird lesbar. Sie vergleichen diese mit Ihrer Übersetzung und wissen nun genau, ob Sie das richtige Ergebnis haben, welche Fehler Sie gemacht haben und Sie können feststellen, welche Fehlerquellen Ihnen bislang vielleicht noch nicht voll bewusst waren.

Der Lernerfolg erhöht sich, wenn Sie den Stoff mehrmals von vorn durcharbeiten, d. h. durchlesen, übersetzen und vergleichen. Die Zahl Ihrer Fehler wird dabei gewiss immer geringer, und Sie spüren, wie Sie im Gebrauch des Französischen sicherer werden.

Falls Sie auch nach mehrmaligem Üben einige Probleme nur schwer in den Griff zu bekommen, sollten Sie dies am Seitenrand rot markieren und dann das gesamte Fehler-ABC daraufhin nochmals konzentriert durcharbeiten.

Und hier noch Erklärungen zu einigen Abkürzungen, die immer wieder auftauchen:

f	weibliches Substantiv
m	männliches Substantiv
pl	Plural/Mehrzahl
subst	Substantiv
inf	Infinitiv
vi	intransitives Verb
vt	transitives Verb
adj	Adjektiv
adv	Adverb
fam	umgangssprachlich
fig	im übertragenen Sinn

Wir wünschen Ihnen viel Spaß beim Durcharbeiten des Fehler ABCs und vor allem viel Erfolg!

Einführungstest

Die richtigen Lösungen finden Sie auf Seite 96.

1. C'est vraiment ... (ärgerlich)
2. Je ... ai ... ce livre (bei ihm geliehen)
3. Sais-tu ... il a fait cela ? (wie)
4. J' ... à l'instant qu'Alain a réussi à son examen. (höre)
5. Le petit enfant apprend à ... (gehen)
6. Montez, je vais vous ... à la gare. (bringen)
7. Il y a une grève des transports, les autobus ne ... pas. (fahren)
8. le vin sera bon ... (dieses Jahr)
9. Il est moins travailleur ... moi. (als)
10. Dans la plupart des cinémas, il n'y a pas de... (Garderobe)
11. Je vais vous donner d'... renseignements. (weitere)
12. Elle ... hier. (hat geheiratet)
13. Le climat de cette région est très ... (gesund)
14. Tu as pu ... ton bus ? (noch bekommen)
15. Ce mur est très ... (dick)
16. Pourquoi ne ... -vous pas ... cet incident? (erzählen ... von)
17. Je vous ... sincèrement. (bedaure)
18. Cette maison a été frappée par ... (Blitz)
19. Il m'a ... cela dans tous les détails. (erklärt)
20. Ils sont partis ... huit jours. (vor)
21. Il ne... pas encore lire. (kann)
22. Il est allé jusqu'à la ... de ses possibilités. (Grenze)
23. Un monument ... au milieu de la place. (erhebt sich)
24. Voyez-vous le ... de la mer ? (Boden)
25. C'est toujours ... (dasselbe)

26. As-tu assez d'argent ... ?   (bei dir)
27. La vallée du Rhin ... un peu la   (erinnert an)
    vallée de la Seine.
28. La ... fraîche ne sèche pas vite.   (Farbe)
29. Donne-lui ... de gâteau.   (ein Stück)
30. Le professeur a ... venir un élève.   (lassen)
31. ... -tu souvent la radio ?   (hörst)
32. Il a pris ... sel.   (etwas)
33. ... il faisait orageux, nous   (da)
    sommes restés à la maison.
34. Il ... presque tous les soirs.   (besucht uns)
35. Il avait cueilli ... dix kilos des   (fast)
    fraises.
36. C'est le samedi que la plupart
    des annonces ... dans les   (erscheinen)
    journaux.
37. Ne lui donnez qu'une ...   (halbe Portion)
38. Viendra-t-il avec nous ? ...   (Hoffentlich
                                                                   nicht)
39. Elle chante ... mieux.   (immer)
40. L'eau a déjà ...   (gekocht)
41. Pourquoi a-t-il agi ... ?   (so)
42. Qui est parti ... ?   (zuletzt)
43. Tu sais jouer ... ?   (Tennis)
44. Son frère est ... que lui.   (älter)
45. Si tu veux, nous pouvons ...   (baden)
    dans le lac.
46. Chacun a ses petits ...   (Fehler)
47. Vous ..., monsieur ?   (wünschen)
48. Adressez-vous au commissariat ...   (nächsten)
49. Tu ne dis rien ? Tu n'as quand
    même pas perdu la ... !   (Sprache)
50. Tu sais, ces artichauts sont
    vraiment ...   (eine Delikatesse)

Verzeichnis der deutschen Stichwörter

mit Seitenangabe

Fehler-ABC: „Abend" bis „zuletzt"

1

Abend (vgl. „Jahr", „Tag")

le soir – Abend (Zeitpunkt)
la soirée – Abend (Zeitdauer und Inhalt); Abend-
gesellschaft

Ich bin um 8 Uhr abends
nach Hause zurückgekehrt.

Isabelle wird heute Abend
zu uns kommen.

Wir haben einen angeneh-
men Abend mit unseren
Freunden verbracht.

Victor arbeitet von mor-
gens bis abends.

Sie hat ihn bei einem
Tanzabend kennengelernt.

Im Winter sind die Abende
lang.

Aufgepasst!

le soir – abends, am Abend
ce soir – heute Abend
hier soir – gestern Abend
la veille au soir – am Vorabend, am Abend vorher
demain soir – morgen Abend

alt

2

âgé – Altersangabe bei Personen
ancien – ehemalig, aus früherer Zeit
vieux, vieille – Altersangabe bei Sachen und Personen (im Gespräch aus Höflichkeit meist vermieden)

Gestern habe ich einen alten Klassenkameraden getroffen.

Alte Leute fühlen sich häufig vereinsamt.

Meine Schwester ist älter als ich.

Warum ziehst du immer dieses alte Kleid an?

Hast du moderne oder alte Möbel?

Die alten Pariser Straßen haben einen gewissen Reiz.

Aufgepasst!

Wie alt ist er? – *Quel âge a-t-il ?*
Er ist 20 Jahre alt. – *Il a 20 ans/est âgé de 20 ans.*

Alter

3

l'âge (m) – Lebensalter
la vieillesse – hohes Alter

In deinem Alter solltest du dich nicht so auffällig kleiden.

Mein Großvater erlebte ein glückliches Alter.

Sie ist viel zu brav für ihr Alter.

Er ist an Alter(sschwäche) gestorben.

Aufgepasst!
(hohes) Alter – auch: *le troisième âge*
sehr hohes Alter – manchmal auch: *le quatrième âge*

4

(der) ander(e)

autre – weiter, zusätzlich, noch ein
différent – verschieden, andersartig, unterschiedlich

Jeder gab eine andere Antwort auf meine Frage.

Da das Glas nicht sauber war, gab sie mir ein anderes.

Er liebt eine Andere.

Wir werden das ein anderes Mal tun.

Seine Methode ist ganz anders als meine.

Aufgepasst!
Ich hatte keine andere Wahl. – *Je n'avais pas le choix.*

anziehen

mettre qc – etwas anziehen
habiller qn – jdn anziehen
s'habiller – sich anziehen

Zieh deinen Mantel an!
Es ist kalt draußen.

Die junge Mutter zieht ihr
Baby zum ersten Mal an.

Zieh dich schnell an!
Wir müssen gehen.

Wir müssen unsere Stiefel
anziehen, weil es regnet.

Carole zieht sich immer
sportlich an.

Aufgepasst!
nichts anzuziehen haben – *n'avoir rien à se mettre*

anzünden

allumer – anzünden (was zum Brennen bestimmt ist)
incendier – (in Brand stecken, Feuer legen)
mettre le feu à qc – (um Schäden zu verursachen)

Die aufgebrachte Menge
hat mehrere Autos um-
gestürzt und angezündet.

Pascal zündete (sich) eine
Zigarette an.

Die Obdachlosen hatten Holz angezündet, um sich zu wärmen.

Die Polizei sucht die drei Männer, die das Schloss angezündet haben.

Aufgepasst!
allumer la lumière/la radio – das Licht/das Radio einschalten

7

ärgerlich

fâché (contre qn/de qc) – verärgert (von Personen)
fâcheux – unerfreulich (von Sachen)

Das ist eine ärgerliche Sache.

Er war ärgerlich wegen mir.

Sie war ärgerlich darüber, dass sie betrogen worden war.

Er hat mich in eine ärgerliche Situation gebracht.

Aufgabe

le devoir – Pflicht, pl: schriftliche Hausaufgaben
la leçon – mündliche Aufgabe
la tâche – Auftrag
le problème/l'exercice – als Teil der Schularbeiten

Man hat ihm die Aufgabe ungeheuer erleichtert.

Mach zuerst deine Aufga-ben, dann kannst du spielen.

Wir können ihm diese Aufgabe übertragen, denn er ist sehr ge-wissenhaft.

Er kann seine Aufgaben nicht.

Es ist unsere Aufgabe älteren Menschen zu helfen.

Wir haben die Lösung der Mathematikaufgabe nicht gefunden.

Der Schüler hatte seine Aufgaben gut gemacht/gelernt.

9 ausziehen

enlever, ôter qc – etwas ausziehen
déshabiller qn – jdn ausziehen
se déshabiller – sich ausziehen

Beim Kinderarzt mußte
sie ihr Kind ganz aus-
ziehen.

Warum ziehst du nicht
deinen Mantel aus?

Mélanie geht gleich ins
Bett. Sie zieht sich gerade
aus.

Zieht euch die Schuhe aus,
bevor ihr in euer Zimmer
geht!

10 baden

baigner, faire prendre un bain à – baden (Kind,
Hund, usw)
baigner qc – etw baden
se baigner – baden (im offenen Wasser: Meer, Fluss, usw)
prendre un bain – baden (in der Badewanne)

Zoé wollte ihre Katze
baden.

Ich habe im Stadtbad ge-
badet.

Er musste dreimal am Tage
seinen kranken Finger
baden.

Jeden Abend hat die Mutter ihr kleines Kind gebadet.

Während der Ferien gehen wir jeden Tag zum Strand, um im Meer zu baden.

Wenn du willst, kannst du ein Bad nehmen/baden.

Ball

la balle – kleiner Ball, z.B. Tennisball
le ballon – großer Ball, z.B. Fußball
le bal – Tanz, Tanzvergnügen

Wir sind mit unseren Freunden gestern abend zum Ball gegangen.

Beim Fußball darf man den Ball nicht mit den Händen berühren.

Wir wollen Tischtennis spielen. Wo sind die Bälle?

Ich werfe dir den Ball zu; fang ihn auf!

Ein großer Ball wurde anlässlich des Staatsbesuchs des französischen Präsidenten in Deutschland gegeben.

Aufgepasst!

Schneeball – *la boule de neige*
Erdball – *le globe terrestre*

12 ## Bank

le banc – Sitzbank (allgemein)
la banquette – Sitzbank (Eisenbahn)
la banque – Geldinstitut, Spielbank

Ich habe mein Geld auf
die Bank gebracht.

Wir haben uns auf eine
Bank gesetzt.

Die Bänke dieses Waggons
sind schlecht gepolstert.

Er träumt davon die Bank
zu sprengen.

Hast du auch ein Bank-
konto?

13 ## bedauern

plaindre qn – jdn bemitleiden
regretter qc – etw bereuen (selbst verschuldet)
déplorer qc – etw beklagen (ohne eigene Schuld
geschehen)

Er hat es sehr bedauert,
diese Stelle nicht ange-
nommen zu haben.

Alle haben seine Abwesenheit bedauert.

Ich bedaure, Ihnen Unrecht getan zu haben.

Er ist sehr zu bedauern.

Ich bedaure aufrichtig diese arme Frau, die Opfer eines Unfalls geworden ist.

Die Gesellschaft bedauert den Verlust ihres Mitarbeiters.

bei (räumlich)

14

chez – im Hause/Laden von
auprès de – bei einer Person
près de – nicht weit entfernt von

Der Arzt ist bei meinem kranken Freund.

Unsere Schule ist beim Bahnhof.

Bei wem übernachtest du heute Nacht?

Ich habe mich bei ihm erkundigt.

Charlotte wohnt bei uns.

Versailles liegt bei Paris.

Aufgepasst!

Je n'ai pas d'argent sur moi. – Ich habe kein Geld bei mir.
Il est mort dans un accident de voiture. – Er ist bei
einem Autounfall tödlich verunglückt.
La bataille de Poitiers – Die Schlacht bei Poitiers

15

bekommen

avoir – kriegen, erhalten (allgemein)
recevoir – bekommen (Post, Einladung, Geschenke)
obtenir – erlangen (durch Anstrengung)
trouver – finden, auftreiben

Glaubst du, dass wir heute
(noch) Regen bekommen?

Bei diesem Wettbewerb hat
sie den ersten Preis be-
kommen.

Gaëlle hat einen Brief von
ihren englischen Freunden
bekommen.

Wo bekomme ich Filme?

Patrick hat die Stelle bekommen, um die er sich
beworben hatte.

Mein Bruder hat zum Ge-
burtstag viele Geschenke
bekommen.

Aufgepasst!

eine Krankheit bekommen – *attraper une maladie*
den Zug noch bekommen – *attraper le train*

bemerken

apercevoir – (rasch, flüchtig) sehen
remarquer – deutlich wahrnehmen
s'apercevoir (de) – geistig wahrnehmen
faire remarquer/observer – äußern, eine Bemerkung
machen

Er bemerkte seinen Fehler
zu spät.

Wir haben einen Soldaten
in der Menschenmenge
bemerkt.

Jemand bemerkte, dass es
vielleicht gut wäre, die
Polizei zu verständigen.

In der Ferne bemerkte man
die Umrisse einiger Hügel.

Ich bemerkte ihn, als er um
die Straßenecke bog.

Plötzlich merkte er, dass er
seine Frau in der Menschenmenge verloren hatte.

Ich habe heute früh be-
merkt, dass sie ein neues
Kleid trug.

Aufgepasst!

faire remarquer/observer qc à qn – jdn auf etw
hinweisen
se faire remarquer – (unangenehm) auffallen

17

besuchen

aller/venir voir – (freundschaftlich) besuchen
rendre visite à – einen Besuch abstatten (auch offiziell)
visiter – besichtigen, offiziell besuchen
fréquenter – gewohnheitsmäßig besuchen

Marc und Cécile werden uns morgen Abend besuchen.

Wenn Sie nach Paris kommen, müssen Sie unbedingt den Louvre besuchen.

Während seiner offiziellen Italienreise hat der Präsident den Papst besucht.

Wenn deine Eltern einverstanden sind, werde ich sie am Donnerstagnachmittag besuchen.

Er besucht alle Pariser Kneipen.

Ich besuche jedes Jahr meine englische Brieffreundin.

Dieses Restaurant wird von vielen Künstlern besucht.

Wenn du in Köln vorbeikommst, vergiss nicht den Dom zu besuchen.

Aufgepasst!

aller au lycée/théâtre – das Gymnasium/Theater besuchen

Beute

le butin – Diebesgut (Sache)
la proie – Opfer (Tier; fig: auch Mensch, Sache)

Der Tiger lauert seiner Beute auf.

Der Dieb musste von seiner Beute ablassen.

Wegen seiner Naivität ist er eine leichte Beute für jede Art von Reklame.

Die Sieger teilten sich die Kriegsbeute.

Das Haus war eine Beute der Flammen.

Aufgepasst!

l'oiseau de proie – Raubvogel

Bild

l'image (f) – Bild (allgemein, auch Fernsehen)
le tableau – Gemälde
l'idée (f) – Vorstellung

Die Bilder der großen Meister sind von unschätzbarem Wert.

Zu seinem Geburtstag bekam Jean ein schönes Bilderbuch.

Das Bild ist klar/scharf.

Das Bild, das du dir von dieser Sache machst, ist falsch.

Wir haben ein Bild an die Wand des Esszimmers gehängt.

Bevor wir anfangen, müssen wir uns ein klares Bild von unseren Mitteln und Möglichkeiten machen.

Aufgepasst!
über etwas im Bilde sein – *être au courant de qc*
das Image – *l'image de marque*

20 Blitz

l'éclair (m) – Lichtschein des Blitzes, auch fig
la foudre – Blitzschlag

Diese Kirche wurde vom Blitz getroffen.

Auf den Blitz folgte ein heftiger Donner.

Der Blitz ist nicht weit von hier in ein Bauernhaus eingeschlagen.

Er ist schnell wie der Blitz/blitzschnell.

Aufgepasst!
le coup de foudre – Liebe auf den ersten Blick
Es blitzt – *il y a des éclairs*
das Blitzlicht – *le flash*

Boden

la terre, le sol – Erde, Erdboden
le terrain – Bodenoberfläche (abgegrenzt)
le sol, le plancher – Fußboden
le fond – Boden eines Behälters/Hohlraums

Die Bücher sind auf dem Boden des Koffers.

Es hat geregnet, und der Boden ist rutschig.

Bei schönem Wetter kann man den Meeresboden sehen.

Wir haben an Boden gewonnen.

Die Normandie ist reich an fruchtbaren Böden.

Die Kinder hatten ihre elektrische Bahn auf dem Boden aufgebaut.

Aufgepasst!

tomber/jeter par terre – auf den Boden fallen/werfen

Ich bin über einen Stein gestolpert und auf den Boden/die Erde gefallen.

22

bringen

porter – (Sachen) tragen ●→
apporter – (Sachen) mitbringen ●←
transporter – (schwere Sachen, auch Personen)
befördern ●→
emmener/conduire – (Personen mit dem Auto)
hinbringen ●→
amener – (Personen) herbringen ●←

Bring diesen Brief zur
Post.

Bringen Sie mir bitte eine
Tasse Kaffee.

Was bringt Sie her?

Sie war verletzt, man hat
sie ins Krankenhaus
gebracht.

Könntest du mich zum
Flughafen bringen?

Ich habe dir das Buch ge-
bracht, um das du mich
gebeten hast.

Bring doch deine Freundin
mit, wenn du das nächste
Mal kommst!

Bürger

le citoyen – Staatsbürger
le bourgeois – Angehöriger der mittleren Schicht
l'habitant (m) – Bewohner

Er forderte die Bürger der Stadt auf, sich auf dem Marktplatz zu versammeln.

Als guter Bürger hat er sich an den Wahlen beteiligt.

Er war ein richtiger Lyoneser Bürger: hart im Geschäft, aber ehrlich.

Man hat ihn zum Ehrenbürger unserer Stadt ernannt.

Aufgepasst!

la guerre civile – Bürgerkrieg
l'instruction civique – Staatsbürger-/Gemeinschaftskunde

da, weil

comme – da, gibt den Grund an
(Kausalsatz geht dem Hauptsatz voran.)
car – denn, gibt den Grund an
(Kausalsatz steht im Nachsatz.)
parce que – weil, antwortet auf die Frage „warum?"
(Kausalsatz steht meist im Nachsatz.)
puisque – da ja, der Grund wird als bekannt vorausgesetzt
(Kausalsatz steht vor/hinter dem Hauptsatz.)

Da mein Wagen in der Werkstatt war, nahmen wir den Zug.

Warum hast du per Scheck bezahlt? Weil ich kein Geld bei mir hatte.

Wir sind (wieder) nach Hause gegangen, weil es anfing zu regnen.

Wenn Sie keine Lust haben zu arbeiten, gehen Sie doch spazieren.

Da du ja so gescheit bist, versuche doch diese Rechenaufgabe zu lösen!

25 **dasselbe**

la même chose, pareil – dasselbe, das gleiche
dagegen:
le même – derselbe

Mein Großvater erzählt immer dasselbe.

Du hast dich nicht geändert. Du bist noch immer derselbe.

Es ist ihm dasselbe passiert wie dir.

Er bestellte ein Mineralwasser und ich nahm dasselbe.

Das ist nicht dasselbe.

delikat

délicieux – wohlschmeckend, lecker
délicat – heikel, empfindlich

Dieses Kind ist oft krank; es hat eine sehr delikate Gesundheit.

Dieser Kuchen ist wirklich delikat.

Wir haben noch ein sehr delikates Problem zu lösen.

Aufgepasst!

Dieser Salat ist eine Delikatesse. – *Cette salade est délicieuse.*
Delikatessengeschäft – *l'épicerie fine*

27

dick

gros – von großem Umfang (Sachen, Personen), beleibt
épais – stark (Maßangabe, Sachen) dicht

Er raucht eine dicke
Zigarre.

Dicke Tränen flossen über
seine Wangen.

Die Mauer ist nicht sehr
dick.

Ein dicker Nebel bedeckte
das Tal.

Sie sind zu dick. Sie sollten
eine Abmagerungskur
machen.

Dieses Brett ist 3 cm
dick.

Aufgepasst!

dicke Freunde – *des amis intimes*
dicke Milch – *du lait caillé*
eine dicke Lüge – *un gros mensonge*
Bist du aber dick geworden! – *Comme tu as grossi!*

eher

plus tôt – früher
plutôt – (viel-)mehr, ziemlich

Er ist eher faul als dumm.

Ich bin eher aufgestanden als er.

Florence ist nicht nur eine Kameradin, sondern eher eine Freundin.

Ich finde dieses Stück eher langweilig.

Das Flugzeug startet um 15 Uhr, aber man muss viel eher auf dem Flugplatz sein.

sich erheben

se lever – sich von seinem Platz erheben, aufstehen
s'élever – aufsteigen, in die Höhe/Lüfte steigen
se soulever – sich empören, aufständisch werden

Ein kleiner Hügel erhebt sich hinter unserem Haus.

Die Zuschauer erhoben sich von ihren Plätzen, um den Künstler zu feiern.

Das Volk erhebt sich gegen die Regierung.

Ein Ballon erhebt sich in die Lüfte.

Die Bauern erhoben sich gegen die Adligen.

30 (sich) erinnern

rappeler qc à qn – jdn an etwas erinnern
se rappeler qc – sich an etwas erinnern
se souvenir de qn/de qc – sich an jdn/etwas erinnern

Ich erinnere mich nicht an seinen Namen.

Ich erlaube mir, Sie daran zu erinnern, dass die Sitzung um 17 Uhr stattfindet.

Ich erinnere mich sehr gut an meine Urgroßmutter.

Erinnerst du dich an dieses Lied?

Dieser Park erinnert mich an den Jardin du Luxembourg.

Erinnern Sie sich nicht mehr an mich?

Aufgepasst!

si j'ai bonne mémoire
si je me souviens bien } wenn ich mich recht erinnere

erklären

déclarer – verkünden, nachdrücklich/verbindlich
behaupten
expliquer – verdeutlichen, erläutern

Das Gericht hat ihn für
schuldig erklärt.

Der Lehrer hat uns den
Sinn dieses Satzes gut
erklärt.

Er wagte nicht, ihr seine
Liebe zu erklären.

Kannst du mir erklären,
warum er das getan hat?

Aufgepasst!

se déclarer d'accord avec – sich einverstanden
erklären mit
déclarer des marchandises – Waren verzollen

erscheinen

paraître – sichtbar werden; veröffentlicht werden
apparaître – unvermutet erscheinen; erscheinen
(übernatürliche Wesen)
comparaître – vor Gericht erscheinen

Ein Flugzeug erschien
plötzlich am Himmel.

Dieses Buch ist soeben
erschienen.

Der Angeklagte musste
vor Gericht erscheinen.

Im Traum erschien ihm
der Engel Gabriel.

Die Sonne erscheint am
Horizont.

33

erzählen

raconter qc (à qn) – (jdn) etwas erzählen
parler à qn de qc – jdn von etwas erzählen, sprechen über
raconter qc au sujet/sur le compte de qn – etwas über
jdn erzählen

Er hat mir eine sehr komi-
sche Geschichte erzählt.

Haben Sie ihm von Ihrem
Erfolg erzählt?

Was hat er über mich
erzählt?

Erzählen Sie uns von Ihren
zahlreichen Reisen!

Sie hat mir ihr (ganzes)
Leben erzählt.

Man erzählt viel über ihn,
aber das ist ihm egal.

etwas

quelque chose – irgend etwas (im bejahten Satz)
rien – irgend etwas (im verneinten Satz)

Tun Sie etwas.

Wie gewöhnlich hatte nie-
mand etwas gesehen.

Er brach auf, ohne etwas
zu sagen.

Brauchst du etwas?

Aufgepasst!

quelque chose de bon/d'important – etwas Gutes/
Wichtiges
un peu de beurre/de miel – etwas Butter/Honig

fahren

aller – fahren (allgemein)
prendre le train
aller en train } mit dem Zug fahren
rouler – fahren (Fahrzeug, auch Personen)
conduire – fahren (Fahrer)
circuler – verkehren

Er fährt einmal wöchent-
lich nach Marseille.

Ich fahre öfter mit dem
Wagen nach Rouen.

Er kann nicht fahren.

Dieser Zug fährt nur werktags.

Ich weiß, dass mein Fahrrad alt ist. Aber Hauptsache ist, dass es fährt.

Am Sonntag fuhren wir mit dem Zug nach Rennes.

Der Unfall passierte, als wir nach Tours fuhren.

Fährst du in den Ferien nach London?

Fährt der Autobus Nr. 33 am Abend?

Aufgepasst!

Tu vas trop vite. – Du fährst zu schnell.
Non, je fais seulement du 90. – Nein, ich fahre nur 90.

falsch (vgl. „richtig")

faux, fausse – unwahr, unecht
mauvais – nicht richtig

Ich habe die Hausnummer
nicht gefunden, weil ich
auf der falschen Straßen-
seite war.

Sie trug falschen
Schmuck.

Das ist ein falscher Geld-
schein.

Du hast den falschen Au-
genblick gewählt.

Er ist in die falsche Richtung gegangen.

Farbe

la couleur – Farbe als Sinneswahrnehmung
la peinture – Material zum Anstreichen
le teint – Gesichtsfarbe

Ich habe einen Eimer
Farbe gekauft.

Welche Farbe hat sein
neues Auto?

Camille hat immer eine
frische Gesichtsfarbe.

Die Farbe ist noch nicht
trocken.

Das Grün passt sehr gut
zu ihrer Gesichtsfarbe.

Ich habe einige Farbfotos
mitgebracht.

38 ## fast

presque – beinahe
près de, presque – beinahe (vor Zahlen und Zeitangaben)
faillir (+ inf), *manquer* – fast (vor Verben)

Es war fast nichts übrig.

Fast tausend Demonstran-
ten versammelten sich vor
der Universität.

Ich rauche fast nie Pfeife.

Er ist fast ertrunken.

Es ist fast drei Uhr.

Sie hat sich fast das Bein
gebrochen.

Fehler

la faute – Fehler, den man macht
le défaut – Fehler, den man/etwas hat

Er hat zwei Grammatik-
fehler gemacht.

Dieses Glas hat einen
Fehler.

Sie liebt ihn trotz seiner
Fehler.

Dieses Diktat ist voller
Fehler.

Aufgepasst!

une erreur de calcul – ein Rechenfehler;
faire une gaffe (fam) – einen (groben) Fehler machen

fertig

prêt (à) – bereit (zu)
fini
terminé } beendet, abgeschlossen

Das Mittagessen ist noch
nicht fertig.

Ist sie schon mit dem
Studium fertig?

Die Arbeit wird nächste
Woche fertig sein.

Wir sind fertig zur
Abfahrt.

40

Aufgepasst!
être épuisé – völlig fertig/erschöpft sein

41 ## Film

le film – Spielfilm
la pellicule – Filmstreifen für Fotoapparat
le cinéma – Film als Institution/Organisation

In Brüssel gibt es ein Filmmuseum.

Wer hat in diesem Film mitgespielt?

Ich muss (noch) diesen Film entwickeln lassen.

Wir haben gestern einen sehr schönen Schwarz-weißfilm gesehen.

Wollen Sie zum Film (gehen)?

Legen Sie den Film in den Apparat ein.

Garderobe

la garde-robe – Kleiderbestand, Gesamtbesitz an Kleidern
le vestiaire – Kleiderablage (Theater usw)

Ich habe meinen Mantel an der Garderobe abgegeben.

Sie sollten nicht an Ihrer Garderobe sparen.

Die Garderobe ist im ersten Stock links.

Ich muss meine Sommergarderobe erneuern.

Aufgepasst!
Künstlergarderobe – *la loge*
Umkleideraum – *le vestiaire*

geboren

être né à… le… – am… in… geboren sein
un médecin-né – ein geborener Arzt
de naissance – gebürtig, von Geburt

Wo ist er geboren?

Ich glaube, sie ist eine geborene/gebürtige Italienerin.

Sie ist die geborene Schauspielerin.

Julien ist am 3. Mai 1973 in Angers geboren.

Lindsay lebt in Spanien, ist aber eine geborene/gebürtige Engländerin.

Er ist der geborene Bastler.

44 Gefühl

le sentiment – Gefühl (geistig, seelisch)
la sensation – Gefühl (mit den Sinnen wahrgenommen)
le sentiment, l'impression – Eindruck
le sens – Sinn (für etwas)

Das Gefühl des Hungers und der Müdigkeit überkam/packte uns.

Er hat das Gefühl für die Wirklichkeit verloren.

Sie kennen die Gefühle, die ich ihm gegenüber empfinde.

Sie hat kein Gefühl für (den) Rhythmus.

Er verbirgt seine Gefühle.

Ich habe das Gefühl, dass es dir nicht gut geht.

Aufgepasst!

faire sensation – Aufsehen erregen

gegen

contre – entgegen, gegen (feindlich; im Austausch)
envers – gegenüber, zu (bei Personen)
vers – in Richtung (örtlich); etwa um (zeitlich)

Papa kommt gegen sechs Uhr nach Hause.

Gegen alle Erwartungen hat er sein Examen bestanden.

Er ist sehr höflich gegen jedermann.

Pierre hat seinen Radiergummi gegen einen Kuli eingetauscht.

Man muss auch seinen Feinden gegenüber gerecht sein.

Er hat sich tapfer gegen seinen Gegner gewehrt/verteidigt.

Ich habe nichts gegen ihn.

46

gehen

aller – jede Art der Fortbewegung (mit Angabe des Zieles!)
aller à pied – zu Fuß gehen; Gegensatz: fahren
marcher – gehen; Gegensatz: nicht gehen können, rasten

Peter geht ins Gymnasium.

Er geht zu Fuß von seiner Wohnung zu seiner Arbeitsstelle.

Lass uns etwas ausruhen, ich kann nicht mehr gehen.

Wir haben den letzten Bus verpasst. Also müssen wir zu Fuß gehen.

Quentin kann nicht gehen, er hat sich den Fuß verstaucht.

Ich muss zum Zahnarzt gehen.

Aufgepasst!

Die neuen Kleider gehen gut.

Worum geht's?

Er ist gegangen.

Meine Uhr geht nicht.

Wie geht es Ihnen?

Das geht Sie nichts an.

gesund

sain – gesund (von Natur/Veranlagung aus)
en bonne santé }
bien portant } gesund (Gegensatz: krank)
bon pour la santé – gesundheitsfördernd

Als ich sie neulich traf,
war sie noch gesund.

Sie haben drei gesunde
und kräftige Kinder.

Salat und Obst sind
gesund.

Ich hoffe, dass du gesund
bist.

Die gesunde Seeluft wird
ihm gut tun.

Treiben Sie Sport; das ist
gesund.

Aufgepasst!

avoir bon appétit – einen gesunden Appetit haben

Grenze

la limite (meist pl) – Grenze (allgemein)
la frontière – politische Grenze (zwischen zwei Staaten)

Meine Geduld hat (auch)
Grenzen.

Innerhalb der Europäischen Union gibt es keine Grenzen mehr.

Die Pyrenäen bilden die Grenze zwischen Frankreich und Spanien.

Er hat die genaue Grenze seines Grundstücks festgelegt.

49 **groß**

grand – groß (allgemein), bedeutend, erwachsen
gros – groß (an Umfang, vgl. „dick"), schwer (wiegend)

Sein großer Bruder heißt Marcel.

Mein Vater hat einen großen Fisch gefangen.

Sie ist eine große Künstlerin.

Das ist ein großer Irrtum.

Aufgepasst!

Combien mesurez-vous ? – Wie groß sind Sie?
Je mesure un mètre quatre-vingts. – Ich bin 1,80 m groß.
Ma surprise était telle que j'ai laissé tomber mon livre. – Meine Überraschung war so groß, dass ich mein Buch fallen ließ.

Größe

la grandeur – Eigenschaft
la taille – Körpergröße, Größe von Kleidungsstücken
la pointure – Schuh-/Handschuhgröße

Jeder bewundert
Napoleons Größe.

Welche Schuhgröße haben
Sie? Ich habe Größe 41.

Er ist von mittlerer Größe.

Dieses Kleid hat Größe 42.

Welche Handschuhgröße
haben Sie?

Die (wahre) Größe eines
Menschen hängt nicht von
seiner Körpergröße ab.

Aufgepasst!

Quelle est votre taille ? – Welche Größe haben Sie?
Il a la folie des grandeurs. – Er leidet an Größenwahn.

51 # Grund

la cause – Ursache
la raison – vernunftmäßiger Grund
le motif – Anlass, Triebfeder
le mobile – Tatmotiv, Beweggrund

Aus welchem Grund hat
er das getan?

Was ist der Grund Ihres
Besuchs?

Ich kann mir den Grund
für seine Verspätung
kaum erklären.

Er hat aus politischen
Gründen gehandelt.

Der Grund für seinen Er-
folg ist ganz einfach sein
Mut.

Die Polizei sucht vergeb-
lich den Grund für das
Verbrechen.

Aufgepasst!
Das ist kein Grund zur Aufregung. – *Il n'y a pas de quoi
s'affoler.*
Grund zur Kritik geben. – *Prêter à la critique.*

Haar

52

le cheveu (meist pl) – Kopfhaar des Menschen
le poil – Körperhaar (Mensch, Tier)

Pauline hat rotes Haar.

Unser Hund verliert seine
Haare.

Damien hat sich das Haar
schneiden lassen.

Mein Freund hat viele
Haare auf der Brust.

Aufgepasst!

C'est tiré par les cheveux. – Das ist an den Haaren
herbeigezogen.
Il s'en est fallu d'un cheveu. – Um ein Haar wäre es
schiefgegangen.
être à poil (fam) – nackt sein.

halb

53

demi (adj) – halb (**une demi-heure**
dagegen: *une heure et demie*)
à demi
à moitié } (adv) – halb
moitié moins… que – halb so… wie

Er hatte eine halbe Flasche
Rotwein getrunken.

Marie ist halb so groß
wie ihre Schwester.

Der Zug ist mit 1$^1/_2$ Stunden Verspätung angekommen.

Mein Glas ist noch halbvoll.

Es ist halb eins (mittags).

Er verdient halb soviel wie früher.

Sie haben nur halbe Maßnahmen getroffen.

Als sie ankam, war sie halbtot vor Ermüdung.

Nathalie ist ihre Halbschwester.

Aufgepasst!

ein halbes Jahr – *six mois*
zum halben Preis – *à moitié prix*
auf halbem Wege – *à mi-chemin*
auf halber Höhe – *à mi-hauteur*

halten für

1. mit Substantiv:
   considérer comme – halten für (persönliche Meinung)
   prendre pour – ansehen als (irrtümlich)
2. mit Adjektiv:
   croire
   juger } halten für

Ich hatte die zwei Freunde
für Brüder gehalten.

Man hält ihn für einen
großen Staatsmann.

Ich halte diesen Roman
für sein Meisterwerk.

Der Chef hält ihn für
fähig, diesen Plan durch-
zuführen.

Für wen halten Sie mich
(eigentlich)?

Er hat es für richtig ge-
halten, Sie zu benach-
richtigen.

55

heiraten, verheiraten

se marier – heiraten
se marier avec qn }
épouser qn } jdn heiraten,
 sich mit jdn verheiraten
être marié – verheiratet sein

Sie sind seit 3 Jahren
verheiratet.

Meine Schwester
Véronique hat gestern
geheiratet.

Warum hat er sie nicht
geheiratet?

Seine Eltern haben vor
25 Jahren geheiratet.

Sie hat einen Millionär
geheiratet.

Heutzutage wird spät
geheiratet.

Aufgepasst!

marier qn – jdn verheiraten/trauen

Der Bürgermeister persön-
lich hat sie getraut.

Der Schullehrer hat seine
Tochter einem Apotheker
zur Frau gegeben.

hoffentlich

bei verschiedenem Subjekt: *J'espère/espérons que tu arriveras demain.* – Hoffentlich…

bei gleichem Subjekt auch: *J'espère te revoir bientôt.* – Hoffentlich …

Hoffentlich bist du morgen da.

Hoffentlich sehe ich dich bald wieder.

Hoffentlich gewinne ich bei der Lotterie.

Hoffentlich kommt Hugues mit uns zelten.

Aufgepasst!

J'espère/espérons que oui; je l'espère/espérons-le! – Hoffentlich!
J'espère/espérons que non. – Hoffentlich nicht!

Wird der Zug rechtzeitig ankommen? – Hoffentlich!

Meinst du, dass es regnen wird? – Hoffentlich nicht!

57

hören

entendre – hören (allgemein)
écouter – aufmerksam (zu)hören

apprendre
entendre dire } erfahren

Er hat dieses Geräusch
nicht gehört.

Sie hört oft Radio.

Es hat geläutet? Ich habe
nichts gehört.

Sie hat gehört, dass er
morgen früh nach Paris
reist.

Hören Sie zu, wenn ich
mit Ihnen spreche!

Ich habe gehört, dass
Philippe aus den Ferien
zurückgekommen ist.

Aufgepasst!

eine Vorlesung hören – *suivre* un cours
von jdm hören – avoir des nouvelles de qn
Lass hören! – Raconte !
Hör mal! – Dis donc !

immer

1. *toutes les fois que* – immer wenn
   chaque fois que – jedesmal wenn

2. *toujours*
   encore } immer noch

3. *tout le temps* – immer wieder, ständig

4. *de plus en plus* – immer (mehr)
   de moins en moins – immer weniger

Immer wenn es klingelt,
bellt unser Hund.

Sie hat es ihm verboten,
aber er tut es immer
wieder.

Er arbeitet immer
weniger.

Mit 80 ging er immer
noch regelmäßig
schwimmen.

Er schrie immer lauter.

Sie lacht immer.

Immer wenn er die Fern-
sehnachrichten sieht,
ärgert er sich.

Schläft er immer noch?

Aufgepasst!
für immer – **pour** *toujours*, à jamais

59

Jahr (vgl. „Abend", „Tag")

Der Unterschied zwischen *l'an* (reine Zeitangabe) und
l'année (Dauer) verwischt sich immer mehr. Als Regel
kann gelten:

l'an (m) – bei Altersangaben und in festen Wendungen
wie: *tous les ans, par an*

l'année (f) – in allen anderen Fällen verwendbar

Wieviel verdient er jähr-
lich?

Das erste Jahr seines Auf-
enthaltes in England war
ihm besonders nützlich.

Jedes Jahr fährt er nach
Frankreich, um seine
Eltern wiederzusehen.

Claire ist 20 Jahre alt.

Er ist fast während des
ganzen Jahres krank
gewesen.

60

jeder

chaque (adj), *chacun* (subst) – jeder einzelne aus einer
bestimmten Menge
tout (adj), *tout le monde* (subst) – jeder beliebige, alle

Sie können mich zu jeder
Zeit aufsuchen.

Jede dieser Videokassetten kostet 120 Francs.

Jeder war einverstanden.

Jedes Land hat seine Sitten und Bräuche.

Dieser schwarze Anzug ist für jede Gelegenheit passend.

Legt jedes Ding an seinen Platz.

Jeder von euch wird seinen Teil bekommen.

Das kann jedem passieren.

Aufgepasst!

jeder dritte – *un sur trois*

kochen

bouillir (vi) – kochen (Flüssigkeiten)
faire bouillir (vt) – Flüssigkeiten zum Kochen bringen
cuire (vi) – kochen (feste Speisen)
faire cuire (vt) – Speisen kochen, braten, backen
faire la cuisine – Essen machen/zubereiten

Wasser kocht bei 100°.

Das Gemüse ist gut gekocht.

Kochen Sie gern?

Koch die Milch ab!

Sie hat Kartoffeln gekocht.

Sie trinkt nur gekochte Milch.

Bringen Sie mir ein gut durchgebratenes Beefsteak.

Mein Vater kann gut kochen.

Aufgepasst!

faire du thé/du café – Tee/Kaffee kochen
faire/préparer un repas – ein Essen kochen/zubereiten

können

62

pouvoir – vermögen, in der Lage sein
savoir – gelernt haben, beherrschen

Sie kann Französisch.

Sie kann nicht kommen, weil ihre Mutter krank ist.

Ich konnte nicht mehr länger schwimmen, ich war (einfach) zu müde.

Er kann schon schwimmen.

Aufgepasst!

Ich kann es Ihnen nicht sagen. – *Je ne saurais vous le dire.*

lassen

faire – veranlassen, befehlen
laisser – zulassen, erlauben

Der Hauswirt lässt die Kinder im Garten spielen.

Lassen Sie mich Ihren Koffer tragen.

Er hat den Arzt kommen lassen.

Lass mich in Ruhe.

Chloé hat sich die Haare färben lassen.

leicht (vgl. „schwer")

facile – leicht zu tun, nicht schwierig
léger – leicht an Gewicht, verdaulich, auch fig

c'est facile à + Infinitiv; dagegen: *il est facile de* + Infinitiv

Dieser Satz ist leicht zu verstehen.

Wir haben eine leichte Mahlzeit eingenommen.

Trag den Koffer, er ist leicht.

Es ist nicht leicht alle zufriedenzustellen.

Das ist nur ein leichter
Fehler.

leihen, borgen

emprunter qc à qn – von jdn etw ausleihen
prêter qc à qn – jdn etw verleihen

Diese Schier gehören mir
nicht, ich habe sie aus-
geliehen.

Sie hat sich bei ihm den
Wagen für 2 Tage ausge-
liehen.

Ich habe ihm das Buch
schon geliehen.

Leihe mir deinen Füll-
federhalter.

Hast du von ihm Geld
geliehen?

Ja, er hat mir 100 Francs
geliehen.

machen

faire qn (+ subst) – jdn zu etwas machen
rendre qn (+ adj) – jdn … werden lassen

Dieses Lied hat ihn be-
rühmt gemacht.

Man hat ihn zum Ritter
der Ehrenlegion gemacht.

Unglück macht oft
hart und ungerecht.

Nach der Schlacht hat ihn
der König zum Herzog
gemacht.

Aufgepasst!

ein Examen machen – *passer un examen*
ein Examen bestehen – *être reçu à un examen*

mehr als (vgl. „weniger als")

plus que – (bei Tätigkeiten und Eigenschaften)
plus de – (bei Mengenangaben)

Michel läuft schneller als
Claude.

Das Flugzeug fliegt in
mehr als 5000 m Höhe.

Er hat mehr als/über die
Hälfte seines Lebens in
Afrika verbracht.

Léa ist intelligenter als
ihr Bruder.

68 **nächste**

le plus proche – der nächstgelegene
le prochain – der nächste von mir aus gesehen
le suivant – der nächste in der Reihenfolge

Nächstes Mal zeige ich
Ihnen den Louvre.

Wo ist die nächste
Tankstelle?

Der Nächste, bitte.

Nur die nächsten Ver-
wandten waren zur Hoch-
zeit gekommen.

Bereiten Sie die nächste
Lektion vor.

Besuchen Sie uns nächsten
Sonntag.

Sonntag, den 12. waren
wir in Marseille, in der
nächsten/folgenden
Woche in Nizza.

Aufgepasst!
der nächste Tag – *le lendemain* (vgl. „Tag")

neu

nouveau, nouvelle – vorangestellt: neu (allgemein)
nachgestellt: gerade geschaffen, modern
neuf, neuve – nachgestellt: noch nicht verwendet/ge-
dacht usw.

Haben Sie schon sein neues
Auto gesehen?

Ist es ein neues Auto oder
ein Gebrauchtwagen?

Ich glaube, es ist ein völlig
neues Modell.

Dieses Buch enthält viele
neue Ideen.

Herr Dupont ist unser
neuer Mieter.

Den neuen Wein trinkt
man im Oktober.

Aufgepasst!

die neuesten Nachrichten – les *dernières* nouvelles
Was gibt es Neues? – Qu'y a-t-il de *nouveau*? Quoi de
neuf?

nur

seul
ne – que } Einschränkung auf das Subjekt bezogen

seulement
ne – que } Einschränkung auf das Objekt bezogen

ne faire que – Einschränkung auf das Verb bezogen

Nur ein Wunder kann uns noch retten.

Ich habe nur seinen Vater gesehen.

Nur er kann uns Auskunft geben.

Statt zu leben, arbeitet er nur.

Dieses Kind weint nur.

Du hast nur 1 kg Äpfel gekauft.

71 Opfer

le sacrifice – Opfer, das man bringt
la victime – Opfer, das man ist

Diese Eltern haben große Opfer für die Ausbildung ihrer Kinder gebracht.

Dieser Unfall hat zahlreiche Opfer gefordert.

Diese Frau ist das Opfer ihres Geizes.

Man erreicht nichts, wenn man nicht bereit ist Opfer zu bringen.

Paar; ein paar

la paire – zwei zusammengehörende Dinge
le couple – zwei Wesen
quelques – ein paar, einige

Pierre und Marie sind ein glückliches Paar.

Sie hat mir ein paar Fotos gezeigt.

Er hat mir ein Paar Handschuhe gekauft.

Ein paar Tage später war er schon in Pau.

Im Käfig saß ein Pärchen Kanarienvögel.

Wieviel kostet dieses Paar Schuhe?

Aufgepasst!
eine Schere – **une paire de ciseaux, des ciseaux**
eine Brille – **une paire de lunettes, des lunettes**

Person

la personne – Person, auch: grammatische Person
le personnage – Person (Literatur, Theater) Persönlichkeit

Wie heißt die Hauptperson in Camus „L'Etranger"?

Ich kenne die Person, von der Sie sprechen, nicht.

Bismarck ist eine historische Persönlichkeit.

Setzen Sie das Verb in die 3. Person Singular.

Aufgepasst!

la *grande personne* – der Erwachsene

Die Erwachsenen verstehen die Kinder oft nicht.

74

Plan

le plan – genauer Plan; Grundriss
le projet – Entwurf, Absicht

Er zeigte uns den Plan seines Hauses.

Haben Sie schon irgendwelche Ferienpläne gemacht?

Statt zu handeln, schmiedet er Pläne.

Die Regierung hat einen Dreijahresplan ausgearbeitet.

Probe

l'essai (m) – Versuch
la répétition – Theaterprobe
Le spécimen – Probenummer (Zeitschrift, Buch)
l'échantillon (m) – Warenprobe
la dégustation – das Probieren

Die Generalprobe fand in Gegenwart zahlreicher Journalisten statt.

Der Verlag hat mir eine Probenummer von dieser Zeitschrift geschickt.

Der Weingärtner lud sie zu einer (Wein-)Probe ein.

Wir stellen Sie zunächst zur/auf Probe ein.

Auf Anforderung hat man uns drei Kaffeeproben geschickt.

Die Probe, die wir mit diesem Gerät gemacht haben, hat uns überzeugt.

Der Vertreter hat uns einige Stoffproben überlassen.

Aufgepasst!

mettre qn à l'épreuve – jdn auf die Probe stellen
une épreuve de force – eine Kraftprobe

76 **Rezept**

la recette – Kochrezept; *l'ordonnance* (f) – Arztrezept
le remède, la recette – Mittel

Der Arzt hat ihm ein
Rezept ausgestellt.

Das ist ein gutes Rezept
gegen Ängstlichkeit.

Kennen Sie ein gutes Re-
zept, um Konfitüren zu
machen?

Dieses Medikament ist
rezeptpflichtig.

„Die gute Küche" ist der
Titel eines Buches, das
viele Rezepte enthält.

77 **richtig** (vgl. „falsch")

vrai, véritable – echt, wahr, nicht gefälscht
juste – ohne Fehler, der Wirklichkeit entsprechend
bon – geeignet, günstig

Ist das Ihr richtiger Name?

Diese Rechnung ist richtig.

Das ist nicht der richtige
Schlüssel.

Das ist richtiges Gold.

Er hatte den richtigen Au-
genblick gewählt.

schlafen

dormir – sich im Zustand des Schlafes befinden
coucher – übernachten

Letzte Nacht habe ich nur
drei Stunden geschlafen.

Wir haben im Hotel
geschlafen.

Haben Sie gut geschlafen?

Er hat auf dem Sofa
geschlafen.

Aufgepasst!

schlafen gehen – *aller se coucher*

Schuld

la dette (häufig pl) – Geldschuld, Schulden
la faute – Fehler
la culpabilité – Schuldigsein

Seine Schuld belief sich
auf mehr als 1000 Francs.

Das ist durch meine Schuld
passiert.

Hat er schon seine Schul-
den bezahlt?

Das ist seine Schuld, wenn
er sein Geld verloren hat.

Der Angeklagte hat seine
Schuld bestritten.

Aufgepasst!

être la cause (de) – schuld sein (an)
être coupable – schuldig sein

80

schwer (vgl. „leicht")

difficile – schwer zu tun, schwierig
lourd – schwer an Gewicht, erheblich
grave – ernst, bedrohlich, bedeutend

c'est difficile à + Infinitiv; dagegen: *il est difficile de* + Infinitiv

Wir haben schwere finanzielle Verluste erlitten.

Seine Krankheit ist nicht sehr schwer.

Dieser Koffer ist zu schwer für ihn.

Dieses Problem ist schwer zu lösen.

Sie haben keine schweren Fehler gemacht.

Es fällt mir schwer darüber zu reden.

schwimmen

nager – aktive Tätigkeit (nur von Lebewesen)
flotter – passiv (Sachen, leblose Körper)

Er kann nicht schwimmen.

Holzstücke schwimmen
auf dem Wasser.

Eine Leiche schwimmt im
Wasser.

Die Kinder lernen das
Rückenschwimmen.

sehr

très – sehr (beim Adjektiv oder Adverb)
beaucoup – sehr (beim Verb)

Dieses Buch interessiert
mich sehr.

Sein Bruder ist sehr groß.

Er ist sehr schnell ge-
fahren.

Ich bedaure sehr,
Herr Marchand kann Sie
jetzt nicht empfangen.

83

Sicherheit

la sécurité – Sichersein vor Gefahr/Schaden
la sûreté – Zuverlässigkeit
l'assurance (f) – Selbstbewusstsein

Die Polizei ist verantwort-
lich für die Sicherheit der
Bevölkerung.

Er hat an Sicherheit ge-
wonnen.

Man bewunderte die Si-
cherheit seines Urteils.

Vergessen Sie nicht, den
Sicherheitsgurt anzu-
schnallen.

Seine Sicherheit (im Auf-
treten) war wirklich er-
staunlich.

Aufgepasst!
mit Sicherheit behaupten – **dire avec certitude**

Das kann ich nicht mit
Sicherheit sagen.

so

84

si – so (vor Adjektiven und Adverbien)
ainsi, comme ça – auf diese Weise
tant – so sehr
} (beim Verb)

Weine nicht so!

Warum ist er so unvor-
sichtig gewesen?

Dieses Wort schreibt man so.

Lauf nicht so schnell.

Die Sache hat sich so zu-
getragen.

Warum schreit das Baby so?

Aufgepasst!

aussi – *que* (positiver Vergleich)
pas (aus)si – *que* (negativer Vergleich)

Er ist nicht so groß wie
sein Vater.

Er schreibt so schlecht
wie ich.

spielen

85

jouer de qc – spielen (ein Instrument)
jouer à qc – spielen (ein Spiel)

Wir spielen oft Karten.

Sie kann Geige und
Klavier spielen.

Ich spiele gern Tennis.

Spielen Sie ein Musik-
instrument?

Aufgepasst!

se passer
se dérouler } sich abspielen, vor sich gehen

Diese Komödie spielt in
Paris.

86

Sprache

la langue – Sprache (eines Volkes)
le langage – Sprechweise
la parole – Sprechvermögen

Mein Freund spricht
mehrere Sprachen.

Die Mutter versteht die
Sprache ihres Kindes gut.

Die Verwaltungssprache
ist oft schwerfällig.

Dieses Tier ist sehr intelli-
gent, es fehlt ihm nur die
Sprache.

Latein ist eine tote,
Französisch eine lebende
Sprache.

Er hat durch einen Schock
die Sprache verloren.

stabil

solide – fest, widerstandsfähig
stable – beständig, dauerhaft

Dieser Schrank ist sehr stabil.

Die Mark ist eine stabile Währung.

Sie hat eine stabile Gesundheit.

Unser Land braucht eine stabile Regierung.

Aufgepasst!

ein solides Mädchen – *une jeune fille rangée*

Straße

la rue – Straße innerhalb einer Ortschaft
la route – Landstraße

Die Straße von Paris nach Lyon ist die National-straße No. 6.

Es ist zu gefährlich hier über die Straße zu gehen.

Die Straße nach Rouen ist sehr befahren.

An der Ecke dieser Straße ist ein Briefkasten.

Aufgepasst!

auf der Straße – *dans la rue, sur la route*

89 Stück

la pièce – Stück als Ganzes, Geld-/Theaterstück
le morceau – Teil eines Ganzen

Diese Melonen kosten
10 Francs das Stück.

Möchtest du ein Stück
Marmorkuchen?

Das ist ein Theaterstück
von Anouilh.

Hélène hat zwei Stücke
Zucker genommen.

Gib mir ein Fünffranc-
stück.

Ich habe das Fleisch in
kleine Stücke geschnitten.

Aufgepasst!

ein Stück Kuchen – auch: *une part de gâteau*
un morceau de musique – ein Musikstück
un bout de papier – ein Stück(chen) Papier

Tag

le jour – (reine Zeitbestimmung, Datum)
la journée – (Zeitdauer und Inhalt)

Welchen Tag haben wir heute?

Es war ein schöner Frühlingstag.

Kommen Sie in drei Tagen wieder.

Er hat den ganzen Tag gearbeitet.

Aufgepasst!

le lendemain – am folgenden Tag, tags darauf

Teil

la partie – Teil eines Ganzen
la part – Anteil, den man hat/bekommt/nimmt

Jeder hat seinen Teil vom Gewinn erhalten.

Ich kenne dieses Buch nur zum Teil; ich habe es zum größten Teil gelesen.

Er hat an meiner Freude teilgenommen.

Ich habe einen Teil meines Lebens in Frankreich verbracht.

Aufgepasst!

le parti – die Partei

92 **verdienen**

gagner – Geld/Lebensunterhalt verdienen
mériter – Lob/Strafe usw verdienen

Er verdient 15 000 Francs
im Monat.

Benjamin hat eine gute
Note bekommen, aber er
hat sie nicht verdient.

Viele Obdachlose verdie-
nen ihren Lebensunterhalt
mit Betteln.

Diese Krankenschwester
würde ein höheres Gehalt
verdienen.

93 **verstehen**

comprendre – begreifen
entendre (par) – hören; verstehen (unter)
savoir (+ inf) – gut können

Ich habe wohl verstanden,
was er mir gesagt hatte.

Was verstehen Sie unter
dem Wort „Freiheit"?

Er versteht nicht zu leben.

Ich verstehe Sie schlecht.
(Telefon)

Er versteht es, die Leute
zu überzeugen.

Ich weiß nicht, ob er meine
Erklärung verstanden hat.

Aufgepasst!

zu verstehen geben – *donner à/laisser entendre*

Er hat mir zu verstehen
gegeben, dass er uns nicht
helfen könne.

viel

94

beaucoup – viel (Adv)
énormément – sehr viel (Adv)
beaucoup (de) – viel (Adj)
bien de + Artikel – sehr viel(e) (Adj)
tant (de) – so viel(e)
trop (de) – zuviel(e)

Ich habe zuviel gegessen.

Ich habe es ihm schon so
viele Male gesagt.

Während meiner Krank-
heit habe ich viel abge-
nommen.

Er kennt sehr viele Leute,
aber er hat keine Freunde.

Ich habe nicht viel Glück.

Ich habe zuviel Erdbeeren gegessen.

Es regnet sehr viel in den Tropen.

Trink nicht so viel!

Aufgepasst!

Vor „beaucoup" kann nie ein Artikel oder ein Pronomen stehen.

Ausweg: *nombreux* – zahlreich

Die vielen Kurven machen diese Straßen sehr gefährlich.

95

vor

devant – vor (örtlich)
avant – vor (von einem beliebigen Zeitpunkt aus gerechnet)
il y a – vor (von heute aus gerechnet)

Ich habe ihn vor acht Tagen getroffen.

Wir haben einen kleinen Garten vor unserem Haus.

Margot ist vor mir angekommen.

Wir sind vor dem Gesetz alle gleich.

Dieses Buch habe ich vor etwa einem Jahr gelesen.

Zwei Tage vor seinem Geburtstag ist er nach Amiens gereist.

Félix hat uns vor dem Theater erwartet.

Aufgepasst!

la veille (de) – am Tag vorher/Vortag

Wir sind am Tag vor dem Nationalfeiertag in die Ferien gefahren.

wagen

oser (+ inf) – sich getrauen (etwas zu tun)
risquer (qc) – (etwas) aufs Spiel setzen, riskieren

Das Kind wagte es nicht die Straße zu überqueren.

Er wagte sein Leben, um das des Kindes zu retten.

Wie können Sie es wagen das zu sagen?

Wer nicht wagt, der nicht gewinnt.

Aufgepasst!

Das ist eine gewagte Sache. – *C'est risqué.*

96

97 **wählen**

choisir (qn/qc) – auswählen, aussuchen
voter (pour qn) – (für jdn) seine Stimme abgeben
être élu – (durch Abstimmung) gewählt werden

Welches Kleid haben Sie
gewählt, bitte?

Er ist zum Präsidenten
gewählt worden.

Aurélie hat zum ersten
Mal gewählt.

Lemercier wurde gewählt,
da mehr als 50% der
Wähler für ihn
stimmten.

Die Gruppe hat Etienne
zum Wortführer
gewählt.

98 **was**

1. Fragepronomen:
   Nom. *qu'est-ce qui*
   Akk. *qu'est-ce que, que* } was?

2. Relativpronomen:
   Nom. *ce qui*
   Akk. *ce que* } was …

Willst du wissen, was wir
gemacht haben?

Was machst du da?

Ich weiß nicht, was er gesagt hat.

Er hat mir alles erzählt, was passiert ist.

Was führt Sie her?

Ich weiß nicht, was ihm zugestoßen ist.

Was ist los?

Was soll ich nun tun?

weniger als (vgl. „mehr als")

moins que – bei Tätigkeiten und Eigenschaften
moins de – bei Mengenangaben

Marc arbeitet weniger schnell als Cédric.

Er hat weniger als eine Stunde gebraucht, um diese Arbeit zu machen.

Laure ist weniger ehrgeizig als Marion.

Dieses Kleid kostet weniger als 500 Francs.

Aufgepasst!

Interdit aux moins de 18 ans – Ab 18 Jahre (Kino)

100 werfen

jeter – wegwerfen, fallen lassen
lancer – gezielt/mit ganzer Kraft werfen, schleudern

Er hat den Diskus über 60 m weit geworfen.

Wirf nicht mit Steinen, du könntest eine Scheibe zerbrechen.

Wirf das Papier nicht auf die Erde, wirf es in den Mülleimer.

Das Kind warf sich in die Arme seiner Mutter.

101 wie

comment – auf welche Weise (direkte + indirekte Frage)
comme – genauso wie
combien – wie sehr

Wie geht es Ihnen?

Er weiß, wie sehr ich seine Abwesenheit bedaure.

Er spricht wie sein Vater.

Er hat den Satz übersetzt, wie ich es ihm gesagt hatte.

Ich weiß nicht, wie der Unfall passiert ist.

Er gestand ihm, wie sehr er ihn getäuscht hatte.

Aufgepasst!

1. Nach hinweisenden Vergleichswörtern wie: *aussi* (ebenso), *autant* (so viel), *même* (derselbe), *si* (so), *tel* (solch) usw. heißt „wie": *que*.

2. Nach Verben der Sinneswahrnehmung wird „wie" durch den Infinitiv wiedergegeben.

Er ist in derselben Klasse wie ich.

Ich bin genauso groß wie mein Bruder.

Ich sah, wie er die Handtasche stahl.

Ich hörte, wie die Uhr schlug.

wünschen

102

désirer, souhaiter qc – etwas für sich selbst wünschen
vouloir qc – sich etwas wünschen, z.B. als Geschenk
souhaiter qc à qn – anderen etwas wünschen

Martin hat sich immer gewünscht, im Ausland zu studieren.

Ich wünsche Ihnen ein gutes neues Jahr.

Annie wünscht sich zum Geburtstag ein Fahrrad.

Was wünschen Sie, bitte?

Ich wünschte, es wäre schon Sommer.

Seine Mutter wünscht ihm, dass er das Rennen gewinnt.

103 Zeit

le temps – Zeit (allgemein)
l'heure (f) – Zeitpunkt, Uhrzeit, Stunde

Die Zeit vergeht schnell.

Beeilen wir uns, es ist schon Zeit zum Mittagessen.

Er war zur vereinbarten Zeit am Bahnhof.

Ich habe keine Zeit, diesen Brief zu beantworten.

Haben Sie die genaue Zeit?

104 Zimmer

la pièce – Raum
la chambre – Zimmer mit Schlafgelegenheit
la salle – großes und besonders benanntes Zimmer

Räume dein Zimmer auf.

Gegen 12 Uhr versammelt sich die ganze Familie im Esszimmer.

Unser Schlafzimmer und das Kinderzimmer sind im ersten Stock.

Wir haben eine Vierzimmerwohnung.

Zimmer zu vermieten.

Unser Fernsehgerät steht im Wohnzimmer.

Diane ist schon seit einer Stunde im Badezimmer.

In seinem neuen Haus hat er drei Zimmer, die zum Meer hin liegen.

Die Hotelzimmer sind nicht immer sehr sauber.

Aufgepasst!

le bureau – Arbeitszimmer
la salle de classe – Klassenzimmer
la salle d'attente – Wartesaal (Bahnhof), Wartezimmer
(Arzt)

zuerst

d'abord – zuerst, zunächst
le premier – als erster

Die Engländer kamen zuerst an.

105

Lasst uns zuerst frühstük-
ken, dann sehen wir weiter.

Sie hat das Haus zuerst
verlassen.

Zuerst hat er sich für diesen Plan begeistert, aber
dann hat er seine Nach-
teile erkannt.

106 **zuletzt**

enfin, finalement – schließlich, endlich
pour la dernière fois – das letzte Mal
à la fin – zum Schluss
le dernier – als letzter

Wir haben ihn zuletzt
doch noch gefunden.

Wann hast du ihn zuletzt
gesehen?

Um dieses Gericht gut zu-
zubereiten, muß man zu-
letzt etwas Rotwein hin-
zufügen.

Aline ist zuletzt ange-
kommen.

Ich habe sie zuletzt im
Konzert gesehen.

Zuletzt hat er die Prüfung
doch noch bestanden.

Wir sind zuletzt aufge-
brochen.

Zuerst lehnte sie ab, aber
zuletzt nahm sie sein
Angebot an.

Vorsicht, nicht verwechseln!

Allee	*l'avenue* (f); aber *l'allée* (f): Allee im Park
anziehen	etw anziehen: *mettre qc;* sich anziehen: *s'habiller*
ausziehen	etw ausziehen: *enlever/ôter qc;* sich ausziehen: *se déshabiller*
Demonstration, demonstrieren, Demonstrant	*la manifestation,* *manifester, le manifestant;* aber *la démonstration:* Vorführung (eines Geräts)
Diät	Schonkost: *le régime,* Diät leben: *suivre un régime;* aber *la diète:* Fastenkur
eigen	*propre* Je l'ai vu de mes *propres* yeux. Dagegen nachgestellt: Il a les *mains* *propres:* Er hat reine Hände.
erstklassig	mehrere Übersetzungen zur Aus- wahl: *de premier choix/ordre, de* *première catégorie/qualité* un hôtel *de première catégorie,* des raisins *de premier choix;* das dem Deutschen entsprechende *de première classe* gilt nur für Fahr- karte/Flugkarte, usw: *un compartiment de première classe*
Etat	öffentlicher Haushalt: *le budget,* Etatjahr: *l'année budgétaire;* aber *l'Etat:* Staat; *l'état:* Zustand, Aufstellung, Liste

Experiment	*l'expérience* (f), *faire des expériences;* Experimente machen; aber *expérimenter:* erproben
Fabrik	*l'usine* (f) (allgemein); *la fabrique:* Herstellungsort für einfache Fertigwaren *une fabrique de boutons/tricoterie*
Fantasie	*l'imagination* (f) *Il manque d'imagination.* aber la *fantaisie:* Lust und Laune *Il vit à sa fantaisie.* *les bijoux de fantaisie:* Mode- schmuck
fatal	in der Bedeutung „unangenehm, peinlich": *fâcheux* *une affaire fâcheuse;* „verhängnisvoll": *fatal* *une erreur fatale;* Beachte: Une erreur *fâcheuse* n'est pas une erreur *fatale.*
Figur	Körperwuchs: *la silhouette* elle a une très jolie *silhouette;* aber *la figure:* Gesicht *se laver la figure*
Friseur, Friseuse, Frisur, sich frisieren	*le coiffeur, la coiffeuse, le coiffeur* *pour hommes/dames, la coiffure,* *se coiffer* *le salon de coiffure*
Gymnasium	*le lycée;* aber *le gymnase:* Turnhalle
Humor	*l'humour* (m) *avoir (le sens) de l'humour;* *l'humeur* (f): Laune, Stimmung

	être de bonne/mauvaise humeur: guter/schlechter Laune sein
Illustrierte/ Magazin	illustrierte Zeitschrift: *l'illustré* (m), *le magazine;* aber *le magasin:* Laden, Geschäft
interpretieren	Text/Gedicht erklären: *expliquer un texte/un poème;* Textinterpretation: *l'explication de texte;* Beachte: Le professeur *explique,* l'acteur *interprète* une pièce de théâtre.
Kamera	Film-/Fernsehkamera: *la caméra:* Fotoapparat: *l'appareil photo-graphique/-photo*
Kegel	geometrische Figur: *le cône;* Figur im Kegelspiel: *la quille*
Kriminal-	Kriminalfilm/-roman: *le film/le roman policier;* Kriminalpolizei: *la police judiciaire*
luxuriös	*luxueux* avoir un *appartement luxueux:* luxuriös eingerichtet sein; aber *luxurieux:* sinnlich, lasterhaft Ce sont des *pensées luxurieuses.*
musikalisch	1. begabt für Musik: *musicien* Je ne suis pas *musicien:* Ich bin nicht musikalisch. 2. die Musik betreffend: *musical* Le français est une langue *musicale.* *une émission/critique musicale:* eine Musiksendung/-kritik
Nieren	lebendes Organ: *les reins;* Fleischgericht: *les rognons*

ordinär	*vulgaire* *des expressions vulgaires;* aber *ordinaire:* gewöhnlich, üblich *une carafe de vin ordinaire*
Plastik	1. Werkstoff: *le plastique, la matière plastique,* Plastik- (in Zusammensetzungen): *en plastique* des *semelles en plastique;* 2. Kunstwerk: *la sculpture*
Praxis	1. Gegensatz zu Theorie: *la pratique;* 2. Besucher/Tätigkeit von Arzt und Anwalt: *la clientèle;* 3. Räume für Arzt-/Anwalts-tätigkeit: *le cabinet du médecin,* *l'étude* (f) *de l'avocat*
Programm	*le programme* (allgemein) 1./2. Programm (Fernsehen): *la première/deuxième chaîne*
Protokoll	1. Strafmandat (im Straßenverkehr): *la contravention* 2. Tagungsprotokoll: *le procès-verbal;* aber *le protocole:* diplomat. Protokoll/Etikette
Regie, Regisseur	*la mise en scène, le metteur en scène; mettre en scène:* Regie führen
regieren	Regierung: *gouverner;* König: *régner* *Le roi règne, mais ne gouverne pas.*

Route	Reiseroute: *l'itinéraire* (m); aber *la route:* Landstraße *la route nationale:* Bundesstraße
Schal	Schal, Halstuch: *l'écharpe* (f), Seidenschal, elegantes Tuch: *le foulard;* aber *le châle:* großer Frauenschal (meist gestrickt oder gehäkelt)
sparsam	von Personen: *économe* Il est très *économe* presque avare. von Sachen: *économique, une voiture/un chauffage économique*
Tablette	Medikament: *le comprimé;* aber *la tablette:* 1. Tafel (Schoko- lade): *une tablette de chocolat* 2. Brett in einem Schrank: *les tablettes d'une armoire* 3. Kleiner Tisch: *une tablette* (d'hôpital par exemple)
Topf	jede Art Topf: *le pot* *le pot à lait, le pot de fleurs;* Kochtopf: *la marmite, le fait-tout*
Tresor	Geldschrank: *le coffre-fort;* aber *le trésor* = Schatz, Reichtum
Watte	Verbandstoff: *le coton;* Material zum Füttern/Auspolstern: *l'ouate* (f) oder: *la ouate*
Weste	*le gilet;* aber *la veste:* (Herren-/ Damen-) Jacke, Jackett
Zensur	Schulzensur: *la note;* aber *la censure:* behördliche Prüfung

Vorsicht, Falle!

Advokat	l'avocat (m.)
Aprikose	l'abricot (m.)
Debatte	le débat
Interpunktion	la ponctuation
Kamerad	le camarade
Karneval	le carnaval
Komfort	le confort
komfortabel	confortable
Konsonant	la consonne
Korrespondent	le correspondant
Mechaniker	le mécanicien
neutral	neutre
Oper	l'opéra m.
Orthographie	l'orthographe (f.)
Parabel	la parabole
paradox	paradoxal
Pedal	la pédale
perfekt	parfait
Personal	le personnel
Phänomen	le phénomène
photogen	photogénique
Picknick	le pique-nique
Pille	la pilule
Planet	la planète
Plattform	la plate-forme
Porto	le port
praktisch	pratique
Prospekt	le prospectus
Quantum	la quantité
regulär	régulier
Reparatur	la réparation
Skrupel	le scrupule
Torte	la tarte
Tulpe	la tulipe
Utensilien	les ustensiles (m.pl.)

Violine	le violon
Vokal	la voyelle
Zigarre	le cigare

Lösungen des Einführungstests (S. 6/7)

Die Zahlen in Klammern verweisen auf die Nummern der entsprechenden deutschen Stichwörter.

1. fâcheux (7)
2. lui... emprunté (65)
3. comment (101)
4. apprends (57)
5. marcher (46)
6. conduire, emmener (22)
7. circulent (35)
8. cette année (59)
9. que (99)
10. vestiaire (42)
11. autres (4)
12. s'est mariée (55)
13. sain (47)
14. attraper (15)
15. épais (27)
16. parlez ... de (33)
17. plains (13)
18. la foudre (20)
19. expliqué (31)
20. il y a (95)
21. sait (62)
22. limite (48)
23. s'élève (29)
24. le fond (21)
25. la même chose (25)
26. sur toi (14)
27. rappelle (30)
28. peinture (37)
29. un morceau/une part (89)
30. fait (63)
31. écoutes (57)
32. un peu de (34)
33. comme (24)
34. vient nous voir (17)
35. près de, presque (38)
36. paraissent (32)
37. demi-portion (53)
38. J'espère/espérons que non. (56)
39. de mieux en (58)
40. bouilli (61)
41. ainsi (84)
42. le dernier (106)
43. au tennis (85)
44. plus âgé (2)
45. nous baigner (10)
46. défauts (39)
47. désirez (102)
48. le plus proche (68)
49. parole (86)
50. délicieux (26)

Index der französischen Wörter

Die Zahlen verweisen auf die Nummern der deutschen Stichwörter, außer es steht S. (= Seite) davor.